LES DINOSAURES

POUR LES FAIRE CONNAITRE AUX ENFANTS

Conception
Émilie BEAUMONT

Images
Lindsey SELLEY

FLEURUS
ENFANTS

ÉDITIONS FLEURUS, 15-27, rue Moussorgski 75018 PARIS

DE PETITS DINOSAURES

A côté des dinosaures géants et monstrueux, il existait aussi de petits dinosaures. Ils étaient en général bipèdes, c'est-à-dire qu'ils se déplaçaient en marchant sur leurs deux pattes arrière. Ils étaient très rapides et agiles, ce qui leur permettait d'échapper aux autres dinosaures, beaucoup plus gros qu'eux. Certains se nourrissaient d'herbes ou de plantes, d'autres attrapaient de petits lézards ou des insectes.

LE FABROSAURUS

C'était un dinosaure de 1 m de long environ, au corps léger.

LE SALTOPUS

Long de 60 cm environ, ce petit dinosaure, grâce à ses longues pattes arrière, était un bon coureur. Peut-être se déplaçait-il aussi par bonds !

LE MUSSAURUS

Les squelettes de mussaurus retrouvés ne mesuraient pas plus de 20 cm de long. Il s'agissait sûrement de jeunes, mais on ne connaît pas la taille des adultes.

L'AVIMIMUS

Long de 1 m environ, l'avimimus ressemblait à un grand oiseau. Ses pattes longues et fines lui permettaient de se déplacer très rapidement.

LE PROCOMPSOGNATHUS

Ce petit dinosaure qui mesurait 1 m de long environ se nourrissait d'insectes et de petits animaux comme les lézards.

LE COMPSOGNATHUS

C'était un petit dinosaure, très rapide. Sa queue était presque aussi grande que son corps.

DE GRANDS DINOSAURES

On connaît bien ces dinosaures géants, car on a retrouvé beaucoup de squelettes parfaitement conservés.
C'étaient des animaux paisibles, qui vivaient au bord de l'eau. Comme tous les dinosaures, ils pondaient des œufs, mais on ne sait pas s'ils les protégeaient. Ces animaux se déplaçaient plus facilement dans l'eau que sur la terre. Leur long cou leur permettait de marcher sur le fond des étangs tout en gardant la tête dehors.

LE DIPLODOCUS ▶

C'est sûrement le plus connu des dinosaures. Il vivait surtout dans les marécages. Il était très grand : certains mesuraient jusqu'à 30 m de long. Il se nourrissait surtout de plantes, qu'il trouvait dans l'eau. Il avait un long cou et une longue queue.

◀ LE BAROSAURUS

Ce dinosaure, semblable au diplodocus, se déplaçait, comme lui, sur ses quatre pattes. Sa tête était petite par rapport à la grosseur de son corps.

Les dinosaures pondaient des œufs

On a découvert de nombreux œufs de dinosaures, dont certains contenaient encore des squelettes. En général, les œufs n'étaient pas très gros par rapport à la taille des dinosaures adultes. Les plus gros retrouvés à ce jour mesurent environ 25 à 30 cm de long. Ils appartenaient à des dinosaures mesurant près de 12 m de long !

9

DES DINOSAURES A PIQUANTS

Ces dinosaures, pas très hauts sur pattes, étaient protégés par une peau épaisse et dure, hérissée de piquants plus ou moins larges et pointus. Certains avaient une tête assez large et une queue en forme de massue, comme l'ankylosaurus. D'autres avaient une tête moins large et une longue queue sans masse ronde à son extrémité. Ces dinosaures mangeaient tous des herbes et des plantes.

LE DYOPLOSAURUS

Plus petit que l'ankylosaurus, mais tout aussi puissant, avec son corps bien protégé sous une véritable cuirasse.

L'ACANTHOPHOLIS

De forme trapue, aussi grand que le dyoplosaurus, ce dinosaure portait des piquants très pointus, surtout situés au niveau des épaules.

L'ANKYLOSAURUS

Ce dinosaure était très impressionnant. Pas très haut sur pattes, il possédait une queue terminée par deux sortes de boules très dures qui lui permettaient d'assommer ses ennemis, comme le redoutable tyrannosaurus.
Il était très lourd et se déplaçait lentement.

LE DYOPLOSAURUS

L'ANKYLOSAURUS

11

DES DINOSAURES A GRIFFES RECOURBEES

Ces dinosaures étaient tous de redoutables chasseurs, avec leurs mâchoires puissantes garnies de dents pointues et tranchantes. Ils se distinguaient par des griffes recourbées qui prolongeaient certains doigts de leurs pattes arrière. Ces griffes ressemblaient à de petites faucilles qui permettaient aux dinosaures de déchiqueter leurs proies.

LE VELOCIRAPTOR

Malgré sa taille moyenne (il faisait environ 2 m de long), ce dinosaure était un grand chasseur. Il maintenait ses proies avec ses griffes puissantes.

LE DEINONYCHUS

Environ deux fois plus long
que le velociraptor, le
deinonychus était l'un des plus
grands de la famille des
dinosaures à griffes
recourbées.

DES DINOSAURES A BEC DE CANARD

Ces dinosaures avaient une tête assez allongée qui s'aplatissait à l'avant en forme de bec de canard. Ces animaux possédaient une mâchoire munie de centaines, voire de milliers de petites dents, bien serrées les unes contre les autres, qui leur permettaient de manger des plantes ou des branches, même les plus coriaces. Ils les déchiquetaient et les broyaient avant de les avaler.

L'EDMONTOSAURUS

Ce dinosaure mesurait 12 m de long environ. Il était capable de marcher aussi bien sur ses deux pattes arrière que sur ses quatre pattes.

LE CORYTHOSAURUS

Ce dinosaure était reconnaissable à sa tête surmontée d'une crête assez haute.

L'ANATOSAURUS

Comme l'edmontosaurus, ce dinosaure n'a pas de crête, contrairement à la plupart des dinosaures à bec de canard.

DES DINOSAURES A CRETES

Ces dinosaures étaient reconnaissables aux lignes de crêtes osseuses qu'ils avaient sur le dos. Ces plaques étaient très grandes, puisqu'elles mesuraient jusqu'à un mètre de long et de large. Le stegosaurus possédait en plus quatre pointes redoutables au bout de sa queue, qui mesuraient jusqu'à 60 cm de long. Bien protégés, ces dinosaures pouvaient se battre contre les gros carnivores. Ils mangeaient surtout des plantes.

LE KENTROSAURUS

Il ressemble au stegosaurus, mais en plus petit. Il vivait à la même époque que lui, mais pas au même endroit. Il vivait en Afrique, alors que le stegosaurus vivait en Amérique. Mais il y a des millions et des millions d'années, l'Amérique était rattachée à l'Afrique et à l'Europe !

LE KENTROSAURUS

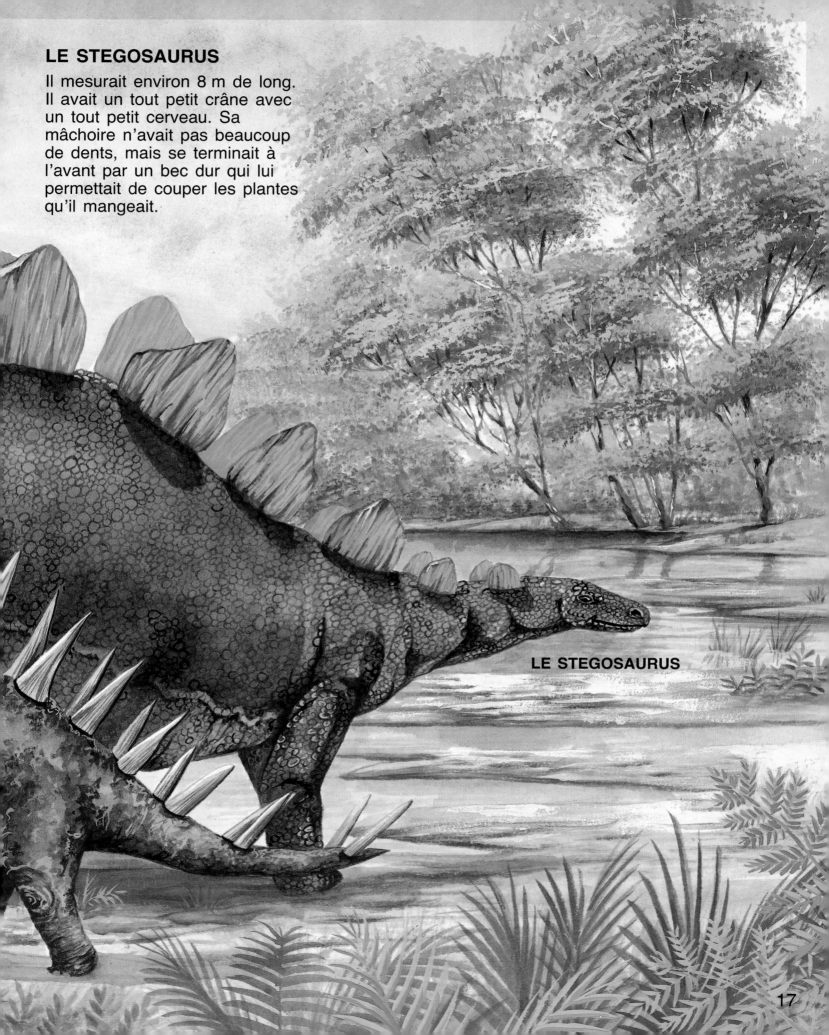

LE STEGOSAURUS

Il mesurait environ 8 m de long. Il avait un tout petit crâne avec un tout petit cerveau. Sa mâchoire n'avait pas beaucoup de dents, mais se terminait à l'avant par un bec dur qui lui permettait de couper les plantes qu'il mangeait.

LE STEGOSAURUS

17

DES DINOSAURES CARNIVORES

Ces dinosaures très impressionnants étaient de redoutables chasseurs. Leurs deux pattes arrière étaient munies de quatre doigts terminés par de belles griffes bien pointues. Leurs deux pattes avant, très petites, étaient aussi ornées de griffes, ce qui leur permettait d'éventrer leurs proies. Ces terribles monstres avaient des mâchoires très puissantes, avec des dents tranchantes qui les aidaient à dévorer sans problème les animaux qu'ils attaquaient.

L'ALLOSAURUS

C'était un redoutable chasseur. Il se déplaçait rapidement, rattrapant sans peine les pauvres dinosaures qui tentaient de lui échapper.

LE TYRANNOSAURUS

Un peu plus grand que l'allosaurus, le tyrannosaurus avait de puissantes mâchoires ornées de redoutables dents, tranchantes comme des poignards. Il mesurait environ 15 m de long.

DES DINOSAURES A CORNES

Ces dinosaures se reconnaissaient à la forme de leur crâne, qui se prolongeait à l'arrière par une sorte de bouclier plus ou moins large et plus ou moins découpé. Ils avaient un bec dur et crochu et des cornes plus ou moins grandes sur la tête.

Ces dinosaures mangeaient surtout des herbes, des plantes et des feuilles.

Le triceratops est le plus connu et le plus impressionnant, avec ses terribles mâchoires qui mesuraient près de 1 m de long.

LE PROTOCERATOPS

C'était un dinosaure de petite taille. Il n'avait pas de véritables cornes sur le dessus de la tête, mais de petites bosses osseuses. Comme les autres dinosaures à cornes, il possédait une espèce de bouclier qui lui protégeait le cou contre les dents des méchants carnivores.

LE BAGACERATOPS

Très petit, long de 1 m environ, ce dinosaure avait une minuscule corne à l'avant de la tête.

LE TRICERATOPS

LE TRICERATOPS

Ce dinosaure mesurait environ 8 m de long. C'était un véritable char de combat, avec ses trois cornes dirigées vers l'avant.

LE MONOCLONIUS

Il ressemblait beaucoup au triceratops, mais il était un peu plus petit et ne possédait qu'une corne.

LE MONOCLONIUS

LE BAGACERATOPS

LE PROTOCERATOPS

DES DINOSAURES A PIEDS D'OISEAU

Ces dinosaures avaient des pieds munis de doigts puissants, qui ressemblaient à ceux des oiseaux. Ils étaient en général herbivores, c'est-à-dire qu'ils se nourrissaient surtout d'herbes, de plantes et de feuilles.
Leurs deux pattes arrière étaient très musclées et très développées, tandis que les pattes avant étaient beaucoup plus courtes. Ils marchaient en se déplaçant sur leurs pattes arrière.

LE SAUROLOPHUS

Les os de son crâne se prolongeaient vers l'arrière en formant une corne.

LE FABROSAURUS

Ce petit dinosaure était un bon coureur.

LE PARASAUROLOPHUS

Ce grand dinosaure était reconnaissable à sa longue corne sur le sommet de la tête.

L'OURANOSAURUS

Il possède une sorte de voile sur le milieu du dos, qui va de la tête à l'extrémité de la queue.

L'OURANOSAURUS

23

LE MEGALOSAURUS

Les premiers os du squelette de ce dinosaure ont été découverts en 1677 en Grande-Bretagne. Mais ce n'est qu'en 1824 qu'on lui donna son nom de megalosaurus. Ce fut le premier dinosaure à recevoir un nom. Le terme « dinosaure » a été créé en 1841 par un Anglais, Richard Owen, pour désigner les reptiles géants. « Dinosaure » vient du grec « deinos » : terrible, et « sauros » : lézard. Mais l'étude des dinosaures est récente et bien des questions restent encore sans réponses.

Ce dinosaure était un redoutable chasseur qui dévorait d'autres dinosaures. Ses pattes arrière, très puissantes, et ses pattes avant étaient munies de griffes très pointues et robustes.

SUR LES TRACES DES DINOSAURES

Pendant des millions d'années, les dinosaures ont vécu sur terre, puis ils ont disparu en laissant pour seules traces leurs os, enfouis dans le sol. En étudiant les squelettes de ces animaux, on a pu les classer et déterminer leur mode de vie. Ils vivaient à l'époque où les continents, comme l'Afrique et l'Amérique, étaient rattachés, ce qui explique l'existence de dinosaures semblables dans deux parties du monde maintenant séparées par l'océan Atlantique.

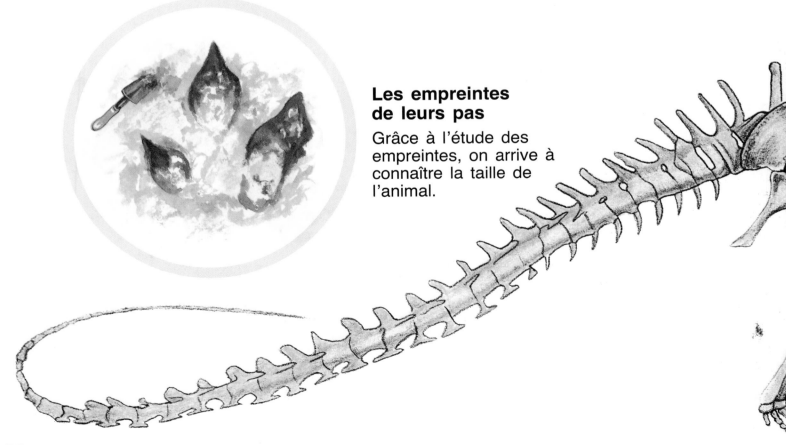

Les empreintes de leurs pas

Grâce à l'étude des empreintes, on arrive à connaître la taille de l'animal.

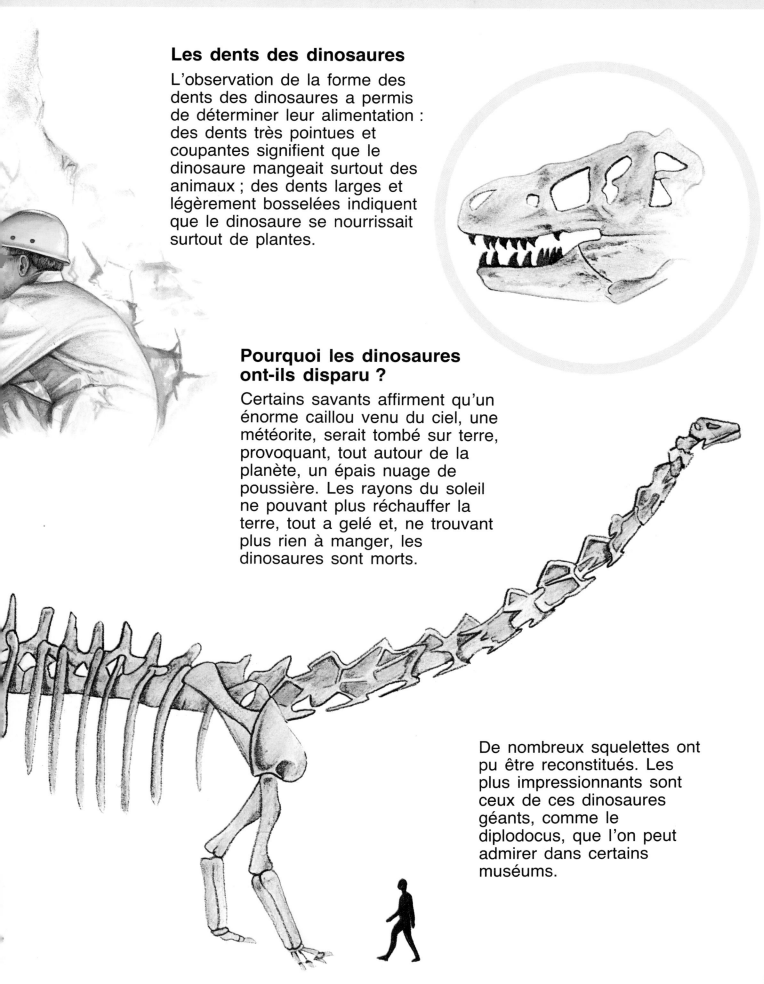

Les dents des dinosaures

L'observation de la forme des dents des dinosaures a permis de déterminer leur alimentation : des dents très pointues et coupantes signifient que le dinosaure mangeait surtout des animaux ; des dents larges et légèrement bosselées indiquent que le dinosaure se nourrissait surtout de plantes.

Pourquoi les dinosaures ont-ils disparu ?

Certains savants affirment qu'un énorme caillou venu du ciel, une météorite, serait tombé sur terre, provoquant, tout autour de la planète, un épais nuage de poussière. Les rayons du soleil ne pouvant plus réchauffer la terre, tout a gelé et, ne trouvant plus rien à manger, les dinosaures sont morts.

De nombreux squelettes ont pu être reconstitués. Les plus impressionnants sont ceux de ces dinosaures géants, comme le diplodocus, que l'on peut admirer dans certains muséums.

TABLE DES MATIÈRES

ISBN 2.215.014.80.6
© Éditions FLEURUS, 1991.
Dépôt légal à la date de parution.
Conforme à la Loi N°49-956 du 16 juillet 1949
sur les publications destinées à la jeunesse.
Imprimé en Italie (12-99).